손이 나왔네

한림출판사

손이 나왔네

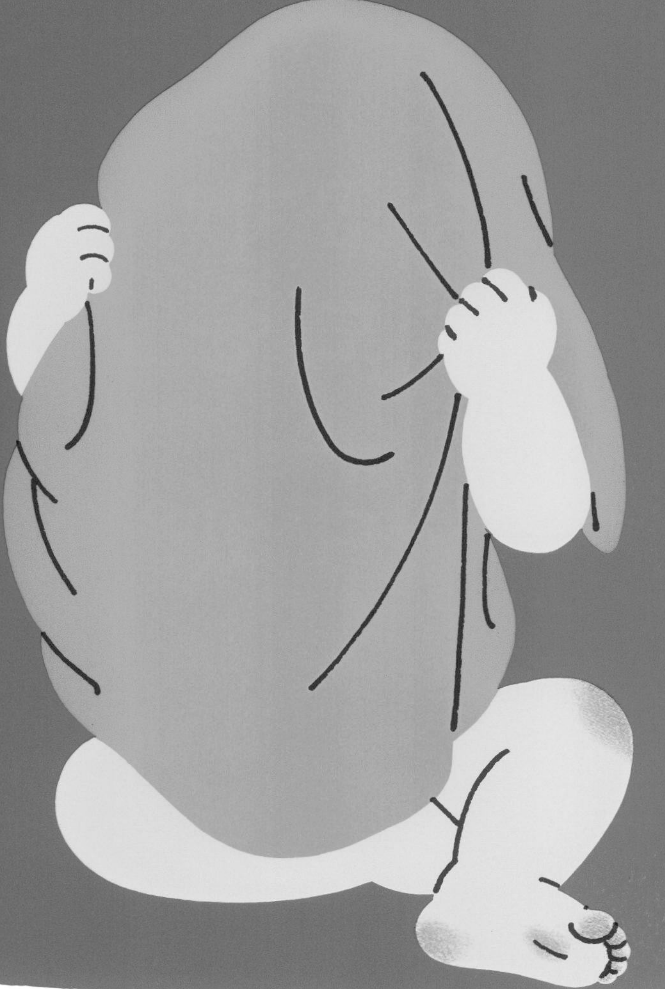

꼼지락 꼼지락
아무 것도 안 보이네.

손은 어디 있을까?

쑥 !

손이 나왔네.

머리는 어디 있지 ?

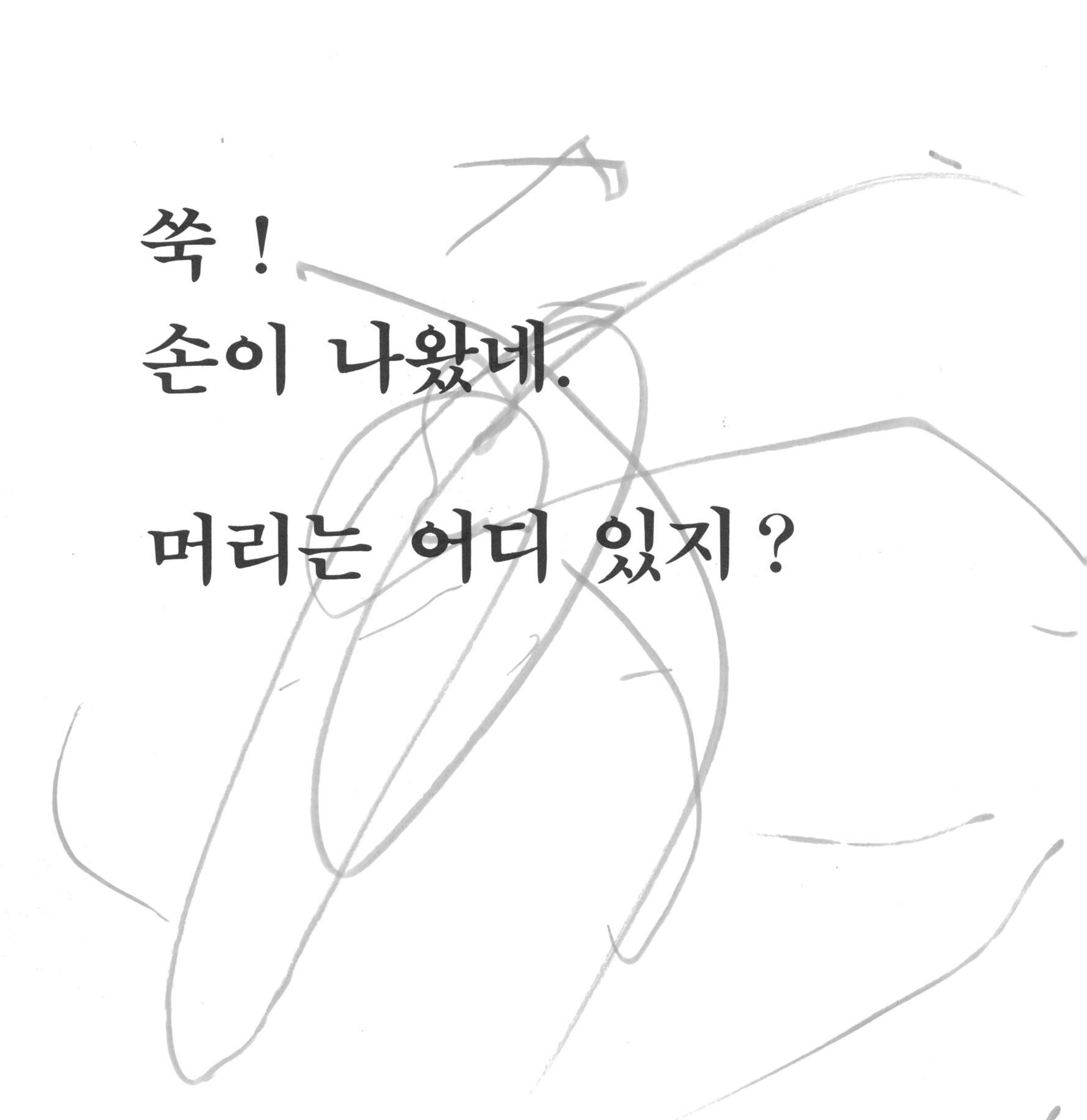

쑤우욱
머리가 나오네.

얼굴은 어디?

아하 !
얼굴이 나왔어요.
눈 · 코 · 입.

한 손은
어디 숨었지 ?

여기 !
두 손 다
여기 있어요.

그럼,
발은 어디 있지 ?

음, 음…….
발은 여기 있어요.

저런 저런,
발 하나가 안 나오네.

영차 영차!

쑥 !
나왔다.
한 쪽 발도 나왔다.

이제는 다 나왔지 ?
손 · 머리 · 얼굴 · 발 !

하야시 아키코

일본 도쿄에서 태어나 요코하마 국립대학 교육학부 미술학부 미술과를 졸업하고 월간으로 발행되는 〈엄마의 친구〉 등에 컷을 그리면서 그림책에 관한 공부를 시작했다. 『오늘은 무슨 날?』로 제2회 그림책 일본상을 수상하였으며, 『목욕은 즐거워』로 산케이 아동출판문화상을, 『은지와 푹신이』로 제21회 고단샤 출판문화상을 수상하였다. 현재 가루이자와의 야조의 숲 근처에서 살고 있다.

한림출판사에서 발행한 하야시 아키코의 작품

『구두 구두 걸어라』
『나도 갈래』
『나도 캠핑 갈 수 있어』
『달님 안녕』
『목욕은 즐거워』
『바지야 같이 가!』
『안녕하세요 산타할아버지』
『크리스마스 딸기 케이크』
『병원에 입원한 내동생』
『순이와 어린 동생』
『손이 나왔네』
『숲 속의 나뭇잎집』
『숲 속의 요술물감』
『숲 속의 숨바꼭질』
『싹싹싹』
『이슬이의 첫 심부름』
『오늘은 무슨 날?』
『우리 친구하자』
『오늘은 소풍 가는 날』
『은지와 푹신이』
『윙윙 실팽이가 돌아가면』
『열까지 셀 줄 아는 아기염소』

손이 나왔네

1988년 9월 10일 1판 1쇄 발행
1994년 1월 25일 2판 1쇄 발행
2007년 3월 25일 2판 22쇄 발행

글·그린이 하야시 아키코
옮긴이 이영준

펴낸이 임상백
펴낸곳 (주)한림출판사
주소 (110-111) 서울특별시 종로구 관철동 13-13 종로코아 | 등록 1963년 1월 18일 제 300-1963-1호
전화 02-735-7551~4 | 전송 02-730-8192, 5149
전자우편 info@hollym.co.kr | 홈페이지 www.hollym.co.kr

인쇄 삼성인쇄(주) | 제책 신안제책

ISBN 89-7094-054-5 77890
ISBN 978-89-7094-054-7 77890

* 값은 뒤표지에 있습니다.
* 잘못 만든 책은 구입하신 곳에서 바꾸어 드립니다.